KB101359

먼작귀 그림책

와삭 냠 꿀꺽

글·그림 나가노

미우

오늘은 아주아주 좋은 날씨.

치이카와는 터벅터벅 산책.

살짝 부는 바람이 상쾌하구나.

있잖아~ 이것 봐, 이것 봐
가르마
어라? 가르마가
큰 소리로 날 부르네.
무슨 일이지?

와아! 커다란 토스트다!

노릇노릇 구워진 빵 위에는

버터가 톡 놓여있고,

고소한 향기에

눈이 뒤집힐 것 같아!

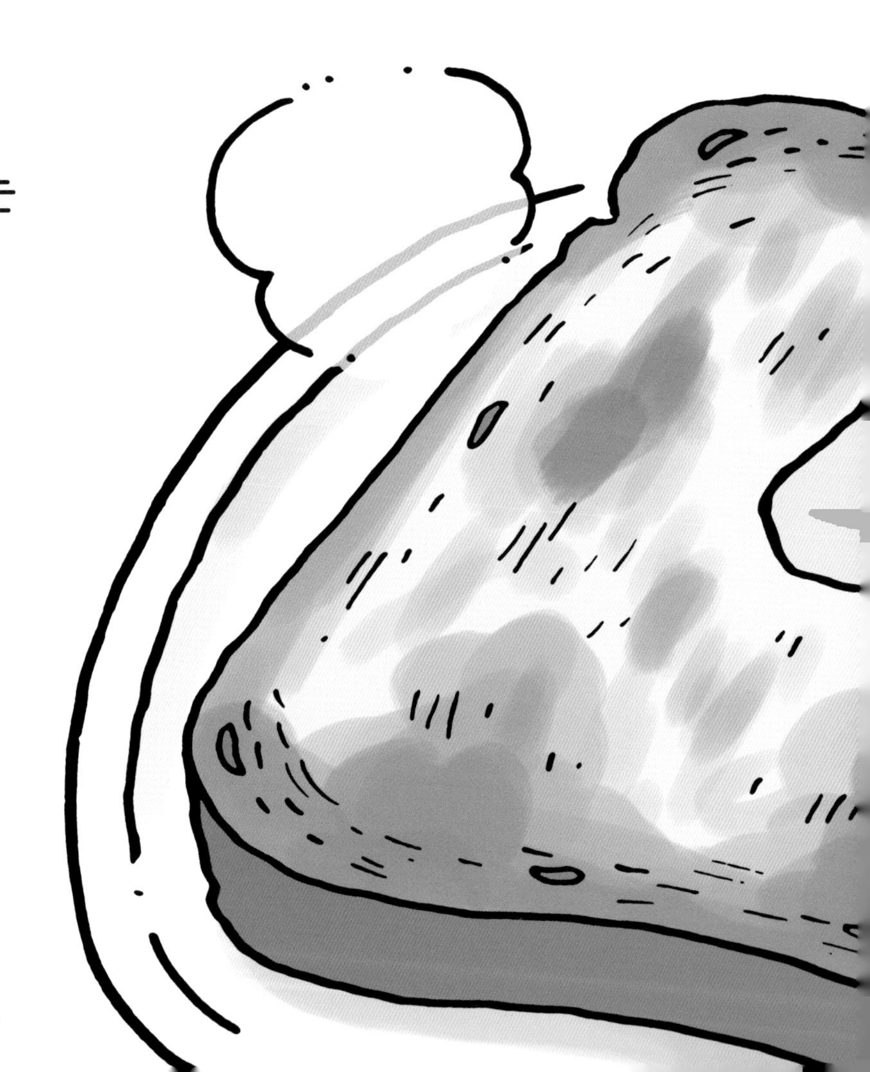

스으—
윽

버터에 올라타
스~윽, 하고 미끄러지자
빵에 사르르 녹아
스며든다.
"맛있겠다~!"

덥석! 와삭와삭 냠냠

.............꿀꺽!

살짝 짭조름한 버터 맛과

바삭한 빵의 식감.

속은 폭신폭신 쫀득쫀득해서

"아~ 맛있다!"

목이 마르니

우유 분수에서

수분 보충.

꿀꺽! 꿀꺽! 꿀꺽!

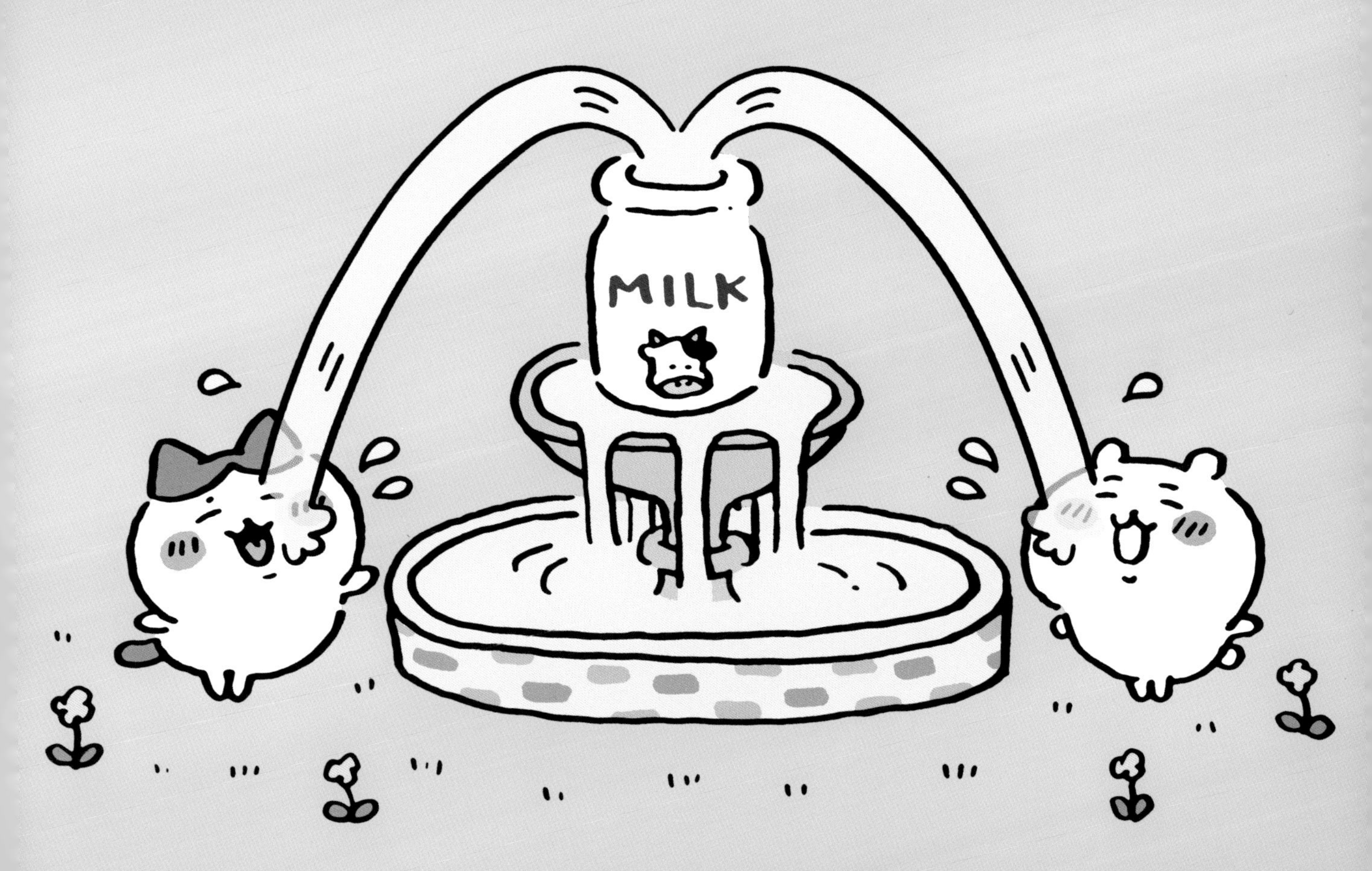
MILK

식빵을 호로록 먹어치운 둘은

터벅터벅 산책.

"앗!!"

가르마가 뭔가 발견한 모양이다.

뭐지?

있잖아~ 이거 봐, 이거 봐
가르마가 손가락으로 가리킨 쪽을
바라보니…

우와아~! 초밥이 하늘을 날고 있어!

참치, 연어알, 새우에 문어,

유부초밥에 오이김말이까지.

"잡아서 먹자!"

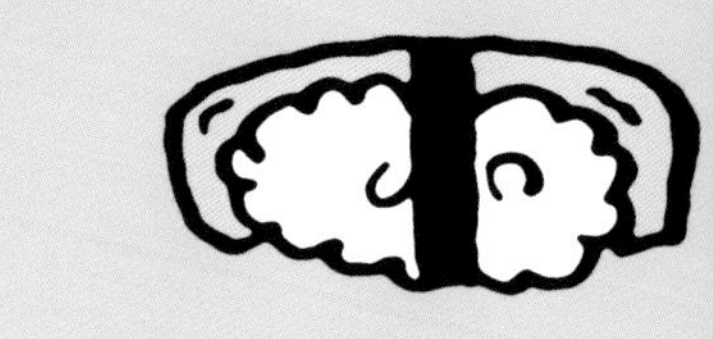

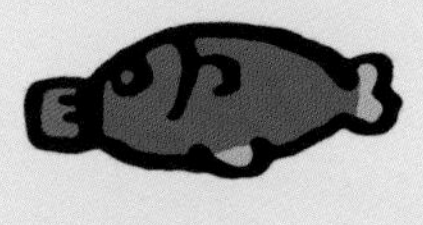

초밥에 이끌려 토끼도 왔습니다.

"우라라라라라라라라야아~하~!!"

폴짝폴짝 뛰어서 초밥을 캐치.

접시랑 간장도 잊지 말아요.

와앙! 냠냠, 냠냠

…………꿀꺽!

재료와 밥의 하모니.

밥의 사이즈가 중요하지.

매운 고추냉이는 요주의.

"든든해~!"

목이 마르니

녹차 샘에서

수분 보충.

꿀꺽… 꿀꺽…

“앗 뜨거 뜨거!”

그러자 갑자기 뒤에서

달콤하고 좋은 냄새가 솔솔.

우앗~! 쿠키가 잔뜩
굴러온다!!

무척 맛있는데, 배가 빵빵.

더는 못 먹겠어.

기쁜데 속상해.

"그런 때는 반찬통이지."
갑옷 씨가 준 것은
뚜껑이 파란 반찬통.

갑옷 씨

아하! 반찬통에 담아
들고 가면 되겠구나!

반찬통에 꽉꽉 채워

뚜껑을 덮은 다음

주머니에 넣으면

완성!

갑옷 씨의 한마디.
"눅눅해지기 전에
먹으렴~."
자,
이제 반찬통을 들고
집에 가자.

"마지막으로 딱 한 개만 먹어야지."

집에 가는 길에 쿠키를 하나 꺼내서

와삭 냠냠 꿀꺽.

하늘이 주황색으로 변하기 시작했다.

토스트도, 초밥도, 쿠키도

다 맛있었지.

세 마리의 뒷모습을 바라보면서

갑옷 씨는 나지막이 중얼거렸습니다.

"반찬통은 참 편리해."

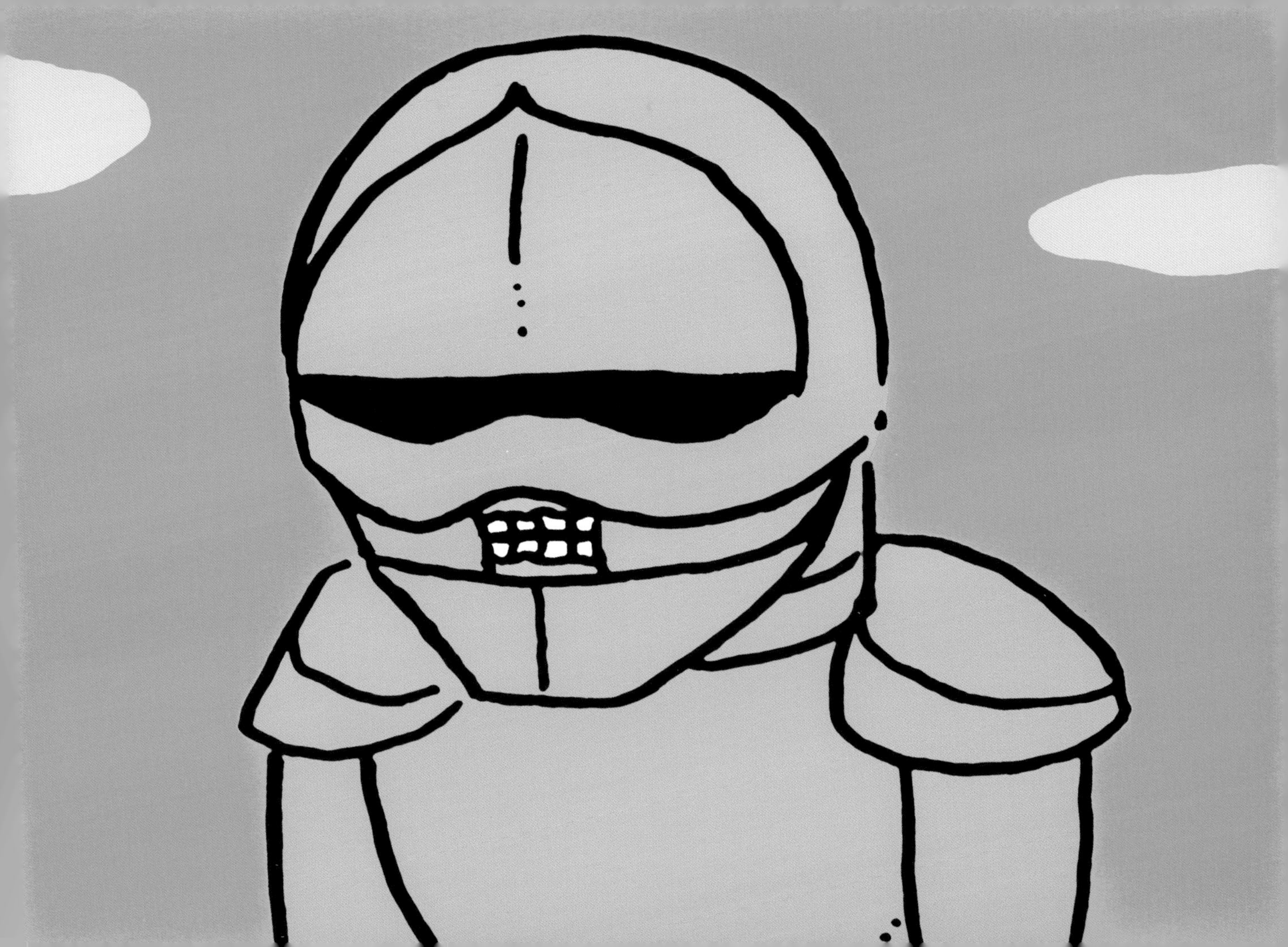

끝